Benny à l'eau

Traduit du suédois par Lina Talgre

ISBN 978-2-211-09596-9

Titre de l'édition originale : « Nöff Nöff Benny » (Norstedts Agency, Stockholm)
Loi numéro 49 956 du 16 juillet 1949 sur les publications
destinées à la jeunesse : janvier 2008
Dépôt légal : février 2010
Imprimé en France par Aubin Imprimeur à Poitiers

Barbro Lindgren · Olof Landström

Benny à l'eau

l'école des loisirs
11, rue de Sèvres, Paris 6^e^

Benny a envie d'aller dehors. Il en a assez d'être à la maison.

Son petit frère aussi veut aller dehors. Lui aussi en a assez d'être à la maison. Ils ont envie d'aller grouiner un peu.

« Fais très attention que ton petit frère
ne tombe pas dans la mare ! » dit maman.
« Groin groin », répond Benny.

D'abord, ils grouinent un peu partout.

Puis ils filent à la mare.

Tout le monde est là. Il y a ceux qui sont vraiment bêtes.
Et ceux qui sont vraiment gentils.
Et il y a Klara, qui est la plus gentille de tous.

Benny aime beaucoup Klara. Son petit frère aussi aime beaucoup Klara.
« Si on jouait à courir autour de la mare ? » propose Klara.
« Groin ! » répond Benny.
« Groin groin ! » dit son petit frère.

Et tous se mettent à courir.

C'est très amusant de courir autour de la mare.
Ils courent de plus en plus vite.

Mais quelqu'un s'est caché. C'est l'affreux Marco.

Plouf ! Il a poussé le petit frère dans la mare !

Le petit frère crie de toutes ses forces.
Alors Klara se jette à l'eau et le sauve !

Ensuite, le petit frère a le droit d'être assis sur les genoux de Klara, avec le groin contre sa joue. Le petit frère est très content.
Mais Benny est très triste. Il voudrait lui aussi être assis sur les genoux de Klara, avec le groin contre sa joue.

Alors il tombe lui aussi dans la mare.

Et Klara le sauve à son tour !
Ensuite, il a lui aussi le droit d'être assis sur les genoux de Klara, avec le groin contre sa joue.

Mais au bout d'un moment, Benny en a assez d'être assis
sur les genoux de Klara. Le petit frère aussi.
Ils ont envie de rentrer grouiner un peu à la maison.

Mais ils sont très sales et très mouillés. Maman va tout de suite deviner qu'ils sont tombés dans la mare. Que vont-ils faire ?
« On va se cacher dans la forêt », dit Benny.
« Oui, on va se cacher dans la forêt », dit le petit frère.

Ils se cachent sous un gros sapin.

Mais il fait beaucoup trop nuit sous le sapin.
Alors ils décident de se cacher ailleurs.
Mais il fait beaucoup trop nuit partout.
Il n'y a aucune lampe dans la forêt.

« Bon, on court jusqu'à la maison », dit Benny.
« Groin », dit le petit frère.
Et ils se mettent à courir.

Tout à coup, il pleut très fort. Ils sont encore plus mouillés qu'avant !

« Oh, mes pauvres chéris, vous êtes trempés ! » dit maman.
« Rentrez vite, que je vous sèche. »

Maintenant, Benny a envie de rester à la maison.
Il en a assez d'aller dehors.
Son petit frère aussi en a assez d'aller dehors.
D'ailleurs, ils ne veulent plus jamais sortir.

(Sauf peut-être demain, à la rigueur.)